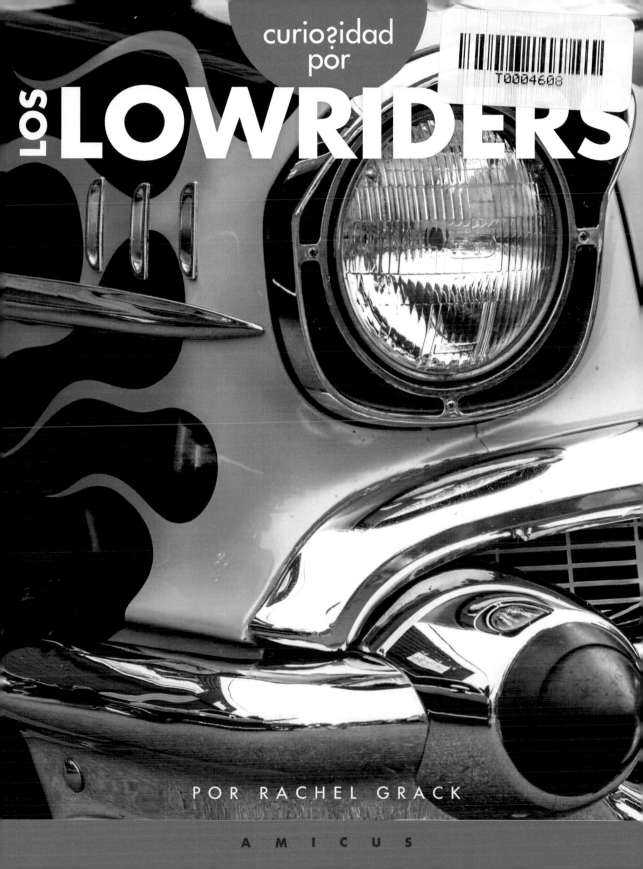

curiosidad por

LOS LOWRIDERS

POR RACHEL GRACK

AMICUS

¿Qué te causa

curiosidad?

Curiosidad por es una publicación de Amicus
P.O. Box 227, Mankato, MN 56002
www.amicuspublishing.us

Gillia Olson y Alissa Thielges, editoras
Kathleen Petelinsek, diseñadora
Bridget Prehn, investigación fotográfica

Library of Congress Cataloging-in-Publication Data

Names: Koestler-Grack, Rachel A., 1973- author.
Title: Curiosidad por los lowriders / by Rachel Grack.
Other titles: Curious about Lowriders. Spanish.
Description: Mankato, Minnesota : Amicus,
[2022] | Series: Curious about.
Curiosidad por los vehículos geniales | Translation of:
Curious about Lowriders. | Includes bibliographical
references and index. | Audience:
Ages 6–9. | Audience: Grades 2–3. | Summary: "Appeal
to budding car lovers with this Spanish question-and-answer
book covering lowrider parts, paint jobs, and history. Simple
infographics draw in browsers and visual learners. Includes
table of contents, glossary, index." —Provided by publisher.
Identifiers: LCCN 2021055485 (print)
| LCCN 2021055486 (ebook) | ISBN 9781645494607
(hardcover) | ISBN 9781681528779 (paperback)
| ISBN 9781645494669 (ebook)
Subjects: LCSH: Lowriders–Juvenile literature.
| Automobiles–Customizing–Juvenile literature.
Classification: LCC TL255.2 .K6418 2022
(print) | LCC TL255.2 (ebook)
| DDC 629.22/18–dc23/eng/20220103
LC record available at https://lccn.loc.gov/2021055485
LC ebook record available at https://lccn.loc.gov/2021055486

Créditos de las imágenes © Shutterstock/Stefan Malloch
cover, 1; Alamy/Goddard New Era 4–5; Getty/Ted Soqui/
Corbis 6–7; Historic Vehicle Association 3, 8–9 (both), 20–21;
Dreamstime/Ldionisio 11 (top); Alamy/Goddard New Era 11
(blue); Getty/Barcroft Media 2 (left), 11 (orange); Dreamstime/
Smitty Smitty 11 (yellow), Shutterstock/Vlad Kochelaevskiy 12;
Alamy/Victor Korchenko 2 (right), 13; Alamy/Michael Wheatley
14–15; iStock/curtis_creative 16; Shutterstock/RTimages 17
(5-spoke); Shutterstock/ultrapok 17 (wire spoke); Pxfuel/Premium
Sport 17 (narrow wall); Pixabay/markus53 17 (wide wall);
PxHere 17 (spinner); Shutterstock/David Tran Photo 18-19

Impreso en los Estados Unidos de America

CAPÍTULO TRES

3

En la calle
PÁGINA
18

¿Qué son los lowriders?

Los lowriders son autos con carrocerías muy bajas. Los chasis casi tocan la carretera. Tienen pinturas geniales y ruedas brillantes. ¡Algunos incluso rebotan! Los lowriders son autos personalizados para **pasear**. Van bajos y lentos.

Los lowriders pueden tener pinturas llamativas.

¿Cuándo empezaron los lowriders?

Un lowrider de la década de 1950 pasea por Los Ángeles, California.

La gente empezó a hacer los autos más bajos en la década de 1940. A los mexicoamericanos les gustaba como se veían. Los lowriders se volvieron parte de su **cultura**. Estos autos destacaban. Mostraban el orgullo por la historia mexicana. Actualmente, los lowriders salen en películas y videos musicales.

¿Qué tipo de autos se vuelven lowriders?

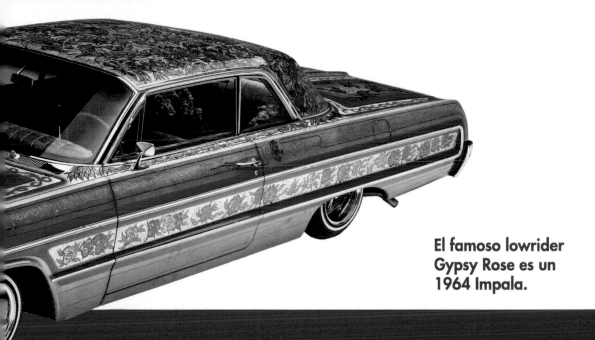

El famoso lowrider Gypsy Rose es un 1964 Impala.

Casi cualquier auto puede ser un lowrider. Los Chevy Impalas de la década de 1960 son los favoritos. Sus chasis tienen espacio para agregarles piezas. Sus enormes **salpicaderas** permiten todo tipo de llantas. Los lados amplios tienen grandes espacios para pintar.

¿Por qué todos los lowriders se ven tan diferentes?

Cada lowrider es una obra de arte. Los conductores se convierten en artistas. Usan colores brillantes y diseños detallados. Añaden **cromado** y oro. Algunos eligen **rayas finas**. Otros pintan imágenes sobre su familia o sus creencias. Sus autos cuentan una historia.

Las llamas son un diseño común.

¿SABÍAS?
Los lowriders comúnmente tienen pinturas únicas.

¿Cómo se baja un auto?

Se le cambia la **suspensión**. Es donde las ruedas se conectan al chasis. Hace años, los conductores cortaban los resortes de la suspensión para hacer bajo el auto. Hoy, los lowriders comúnmente tienen suspensiones neumáticas o **hidráulicas**, en lugar de resortes. El auto se eleva y se baja con solo apretar un botón.

La suspensión sostiene al auto hacia arriba para que se pueda desplazar.

Las suspensiones de los lowriders son personalizadas.

¿Qué hace que los lowriders salten?

Un lowrider hace que un neumático brinque del suelo.

Suspensiones hidráulicas. Estas usan líquido para elevar y bajar el auto. Trabajan rápido. ¡El auto brinca! Los elevadores pueden inclinar a los autos en todas direcciones. Los autos parecen estar bailando. ¡En algunas exhibiciones de lowriders incluso se realizan concursos de baile!

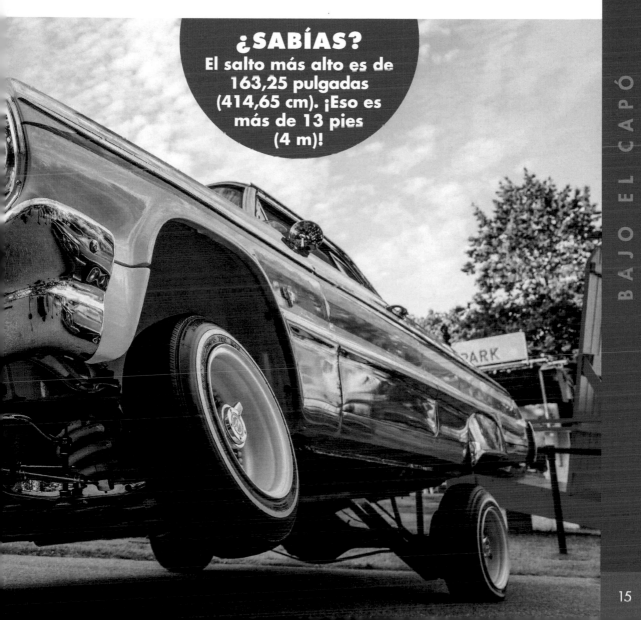

¿SABÍAS?
El salto más alto es de 163,25 pulgadas (414,65 cm). ¡Eso es más de 13 pies (4 m)!

¿Los lowriders tienen neumáticos especiales?

Los neumáticos whitewall son populares entre los lowriders clásicos.

Los conductores comúnmente le ponen neumáticos pequeños. Hacen que el auto sea aún más bajo. La mayoría de los lowriders ruedan sobre **neumáticos whitewall** angostos. Ruedas llamativas personalizadas sostienen los neumáticos. Los dueños pueden también agregarles **tapones** a las ruedas. Algunos tapones giran por sí solos.

NEUMÁTICO WHITEWALL ANGOSTO

NEUMÁTICO WHITEWALL ANCHO

RUEDA CON RAYOS DE ALAMBRE

RUEDA DE ALEACIÓN DE 5 RAYOS

TAPONES GIRATORIOS

TIPOS DE RINES Y RUEDAS

17

¿Son seguros los lowriders para las calles?

¡Sí! Después de todo, los lowriders son para pasear. Aún deben obedecer las leyes. Algunos estados no permiten ventanas oscuras ni faros de colores. Los autos no pueden **raspar** la carretera. Esto podría provocar chispas.

Un hombre conduce su lowrider en un desfile.

¿Qué se siente
conducir uno?

El interior del lowrider Gypsy Rose es totalmente rosa.

¡Cómodo y resonante! Muchos lowriders tienen asientos como sofás. Los asientos pueden estar cubiertos de **terciopelo** suave o cuero de colores. Casi todos tienen un buen estéreo. La música es parte importante de andar en lowrider. ¡Enciende la música y brinca a su ritmo!

HAZ MÁS PREGUNTAS

¿Hay algún lowrider famoso?

¿Cómo es un concurso de lowriders?

Haz una PREGUNTA GRANDE:
Imagínate que tuvieras un lowrider. ¿Cómo lo pintarías?

BUSCA LAS RESPUESTAS

Busca en el catálogo de la biblioteca o en Internet.
Pueden ayudarte tus padres, un bibliotecario o un maestro.

Usar palabras clave
Busca la lupa.

Las palabras clave son las palabras más importantes de tu pregunta.

¿

Si quieres saber sobre:

• autos lowrider famosos, escribe: LOWRIDERS FAMOSOS

• concursos de lowriders, escribe: EVENTOS DE LOWRIDERS

GLOSARIO

cromado Metal plateado brillante.

cultura Los modos de vida, ideas y tradiciones de un grupo de personas.

hidráulico Que tiene que ver con un líquido en movimiento.

neumático whitewall Neumático con una banda blanca en el lado.

pasear Dar la vuelta en auto solo por diversión.

raspar Pelar o rayar algo con un objeto filoso.

rayas finas Diseños con rayas delgadas sobre un auto.

salpicadera La parte metálica de la carrocería de un auto que cuelga sobre las ruedas.

suspensión El sistema que conecta las ruedas al chasis del auto.

tapón Una cubierta que encaja sobre la rueda de un auto.

terciopelo Una tela suave con fibras cortas levantadas de un lado.

ÍNDICE

Acerca de la autora

Rachel Grack corrige y escribe libros para niños desde 1999. Vive en un rancho en Arizona. ¡Siempre le han entusiasmado los autos atractivos! Hubo un tiempo en el que incluso era dueña de un street rod: un Ford Galaxie 500 de 1965. Le encantaba pasearse en él con las ventanas bajas. ¡Esta serie volvió a encender su pasión por los autos!